動物たちのささやき
堀米薫／作
三上唯／絵

もくじ

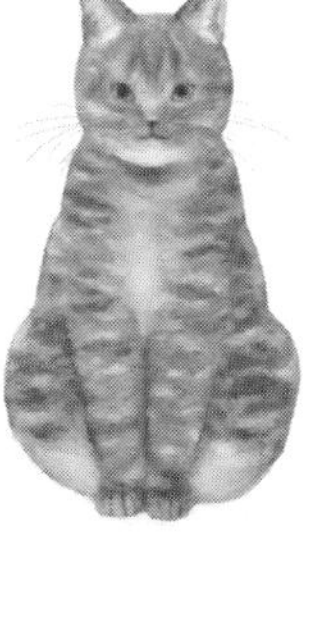

装丁　野村義彦（LILAC）

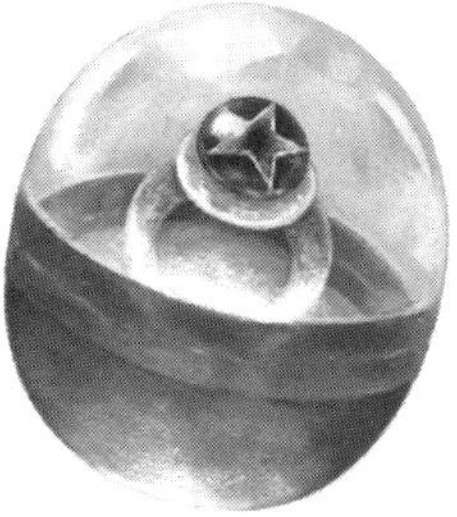

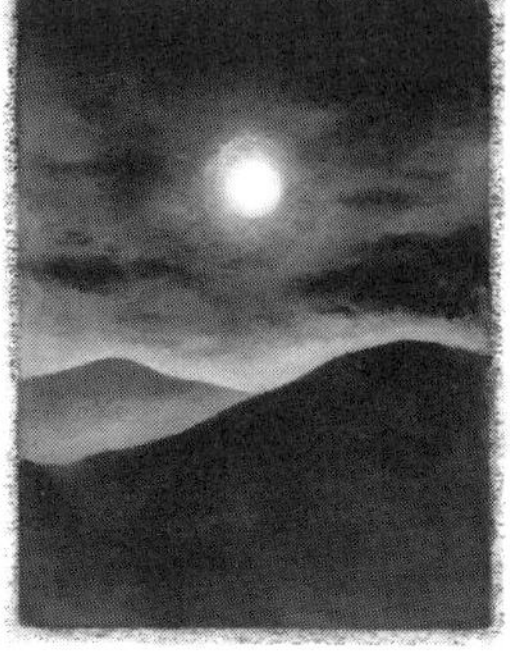

聞き耳ずきんを　知っているかい？
かぶれば　聞こえる
動物たちの話し声

どこにあるかは　だれも知らない
ひとたび　かぶれば　扉《とびら》が開く
動物たちの　ふしぎな世界へ

Ⅰ 聞き耳ずきん

むか〜しむかし、若者《わかもの》が山道を歩いていると、一匹《ぴき》のキツネが、たおれた木の下じきになって苦しんでいました。あわれに思った若者は、木の下からキツネを助けてやりました。

小学五年生の和彦《かずひこ》は、神鳥《かんどり》さんの紙芝居《かみしばい》にひきこまれていた。

神鳥さんは、学校の近くに住むおばさんで、週に一度の読み聞かせボランティアに来てくれていた。赤いふちの大きなメガネをかけ、まるでクジャクの羽をまとったような、色あざやかなワンピースを着て学校にやってくる。

クラスのみんなからは、「ふしぎおばさん」と呼《よ》ばれていた。

神鳥《かんどり》さんは、こわい絵本はとびきりこわく、楽しい絵本は底抜《そこぬ》けに楽しく、さらに、科学絵本から昔話の紙芝居《かみしばい》まで、はば広いジャンルを読んでくれる。

好奇心《こうきしん》が強く、あれこれ想像《そうぞう》するのが好《す》きな和彦《かずひこ》は、この時間を楽しみにしていた。

神鳥さんが、紙芝居の場面をさっと変《か》える。

しばらくして、若者《わかもの》が山を歩いていますと、先日助けてやったキツネが現《あらわ》れ、命を助けてもらったお礼にと、からし色のずきんをさし出しました。かぶれば動物の話がわかるという聞き耳ずきんです。

(え……!)

和彦《かずひこ》の目が、神鳥《かんどり》さんのかぶっている、からし色の帽子《ぼうし》にくぎづけになった。

(紙芝居《かみしばい》の聞き耳ずきんと、色も形もそっくりだぞ!)

神鳥さんは、口をあんぐりと開けたままの和彦を、横目でちらりと見たかと思うと、意味ありげにパチリと片目《かため》をつぶった。

(今の何……?)

神鳥さんは、あっけにとられる和彦をそのままに、すぐに紙芝居《かみしばい》にもどって読み続《つづ》ける。

若者《わかもの》の住む村では、長者《ちょうじゃ》の娘《むすめ》が病気になり、どんなお医者にも治《なお》せないと、みなが困《こま》っていました。若者が聞き耳ずきんをかぶってみますと、なんとびっくり、鳥たちのおしゃべりが聞こえてくるではありませんか。

なんでも、長者の家の庭の松《まつ》の木が、庭石の重さにたえかねて苦しんでいるため、長者の娘まで病気になったというのでした。

若者のいうとおり、松の木の庭石をどけると、たちまち長者の娘は元気になりました。喜《よろこ》んだ長者は、娘と若者を結婚《けっこん》させ、若者は末長《すえなが》く、幸せに暮《く》らしましたとさ。おしまい。

神鳥《かんどり》さんが紙芝居《かみしばい》の舞台《ぶたい》を閉《と》じたちょうどその時、窓《まど》の外から、「カ～カ～」とカラスの鳴き声が聞こえた。

神鳥さんは、両手を耳の後ろにそえ、まじめな顔でうなずいた。

「ふむふむ、聞こえる聞こえる。カラスが、早く家に帰りなさいっていっているわ。ではみなさん、また来週～！」

神鳥さんは、みんなの拍手《はくしゅ》に送られて、教室を出ていった。

「今日の読み聞かせも楽しかったですね。さあ、一時間目を始めますよ」

先生がパンパンと手をたたき、いつもの授業《じゅぎょう》に切りかわった。

和彦《かずひこ》といえば、すっかりうわの空だ。

(神鳥《かんどり》さんは、さっき、鳥の声が聞こえるっていったぞ。あの帽子《ぼうし》は、紙芝居《かみしばい》の絵にそっくりだったし、本物の聞き耳ずきんだったりして……！　もし本物なら、いったい、どこで手に入れたんだろう)

考えれば考えるほど、からし色の帽子が気になってしかたがない。

学校からの帰り道を歩く和彦《かずひこ》の頭上を、カラスやスズメが飛《と》んでいく。

カ〜カ〜、チュンチュン、チュチュチュ

(鳥同士で、何をおしゃべりしているのかな。聞き耳ずきんがあったら、おもしろいだろうな)

想像《そうぞう》するだけでわくわくしてくる。

和彦《かずひこ》は、通学路の途中《とちゅう》にある神鳥《かんどり》さんの家の前で、足を止めた。生《い》け垣《がき》の間から、庭のベンチにすわる神鳥さんが見える。読み聞かせに来た時と同じ、からし色の帽子《ぼうし》をかぶり、カップでお茶を飲んでいた。

（あれ、神鳥《かんどり》さんのとなりに若《わか》い男の人がいるぞ）

和彦《かずひこ》は、生《い》け垣《がき》にそっと顔を近づけた。若い男の人が神鳥さんのわきに立ち、双眼鏡《そうがんきょう》をのぞいている。

（何を見ているのかな。なんだか、あやしい……）

ふいに、双眼鏡がくるりと和彦の方を向いた。

「そこにいる、きみ！」

男の人の声に、和彦はびくっと飛《と》びあがった。

（ひえっ、まずい！）

あわてて逃《に》げ出《だ》そうとする和彦に、男の人がまた声をかけた。

「ここの小学校の子だね。いっしょにお茶はどう？　いいでしょよう、お母さん」
（お母さん？　ってことは、あの男の人は神鳥《かんどり》さんの子どもなんだ）
その時、生《い》け垣《がき》の間から、神鳥さんがにゅっと顔を出した。
「あら、あなた、今日読み聞かせに行った五年生のクラスの子ね？
名前は、え〜と、和彦《かずひこ》くんね。さあ、いらっしゃい」
神鳥さんは、和彦の名札《なふだ》にさっと目を走らせ、庭にまねき入れた。
（なんだか、変《へん》なことになっちゃったぞ）
和彦は、どぎまぎしながら、神鳥さんのとなりにすわった。
男の人が和彦に、親しげにいった。
「はじめまして、ぼく、神鳥雅也《かんどりまさや》。きみと同じ小学校にかよっていたんだよ。今は大学三年生で、鳥の研究《けんきゅう》をしているんだ。苗字《みょうじ》が神《かん》鳥《どり》だけにね。うふふ」

（鳥の研究？　双眼鏡《そうがんきょう》で鳥の観察《かんさつ》をしていたのか。よかった。あやしい人じゃなかったんだ……）

「さあ、どうぞ。この庭のハーブでいれたお茶よ」

ほっとした和彦《かずひこ》は、神鳥さんにすすめられ、カップのお茶をひと口飲んでみた。さわやかな香《かお》りで、頭がすっきりする。

（そうだ。ぼくは、聞き耳ずきんが本物か、気になっていたんだっけ）

和彦は、カップを手に、神鳥さんのからし色の帽子《ぼうし》をまじまじと見つめた。神鳥さんは、和彦の心の声が聞こえたように、頭の帽子を指さした。

「ああ、この帽子《ぼうし》ね。紙芝居《かみしばい》の聞き耳ずきんと色も形も同じだったから、気になっちゃったんでしょ？　あなただけ、目を真ん丸にしてわたしを見ていたものね。くくくく」

神鳥《かんどり》さんは、おなかを折《お》るようにして笑《わら》い出《だ》した。

和彦《かずひこ》は、はずかしくて、顔が真っ赤になった。

「じつは、朝起きたら、寝《ね》ぐせがあんまりひどいものだから、あわてて、近くにあったキャップをかぶって学校に行ったのよ。ほ～らね」

神鳥さんがからし色の帽子をとると、ピンとはねあがった毛が現《あらわ》れた。神鳥《かんどり》さんは、学校でやったように、耳の後ろに手をそえて、聞き耳を立てる動作《どうさ》をした。

「最後《さいご》に、鳥の声が聞こえるっていったのは、みんなに楽しんでもらうための、サービスよ。ちょっとやり過《す》ぎちゃったかな。うふふ」

(なあんだ……)

和彦《かずひこ》の肩《かた》から、ふうっと力が抜《ぬ》けた。

「ああ、聞き耳ずきんか。母さんがよく、そんな昔話を聞かせてくれたよね」

雅也《まさや》さんが、なつかしそうな目をすると、和彦にいった。

「きみは、動物たちの話がわかったらいいなあって、思ったことはあるかい？」

和彦《かずひこ》は、素直《すなお》にうなずいた。

「うれしいな。ぼくも子どものころ、そう思ったから」

雅也《まさや》さんは、ついっと空を指さした。

「たとえば、カラスの鳴き声も、よく聞いてみるといいよ。カーカーのほかにも、クワアクワアや、カッカッなど、いろいろな鳴き声があるんだよ」

「え、カラスってカーカーだけじゃないんですか？」

「うふふ。そうだよ。仲間《なかま》とコミュニケーションをとったり、縄張《なわば》りに入ってきたものをおどかしたり、意味があるらしいんだ。今は、カラスのほかにも、言葉を使う鳥についての研究《けんきゅう》が進んでいるんだよ」

「鳥が言葉を使う？　どうやったらそんなことがわかるんだろう」

たちまち、和彦《かずひこ》の目が好奇心《こうきしん》で輝《かがや》いた。

「興味《きょうみ》ある？」

和彦は、「はい！」とうなずいた。

雅也《まさや》さんはにっこりと笑《わら》うと、急ぎ足で家の中に入っていった。

庭からは、家の壁《かべ》一面が本棚《ほんだな》になっているのが見える。絵本から図鑑《ずかん》までびっしりと並《なら》んでいる。和彦は、本の背表紙《せびょうし》を目で追った。

(うわぁ、おもしろそうな本がいっぱいある。まるで図書館みたい

だ。神鳥《かんどり》さんと雅也《まさや》さんは、この本を全部読んだのかな）

雅也さんは、その中から一冊《さつ》を抜《ぬ》きとり、庭にもどってきた。

「これ、きみに貸《か》してあげるよ。子ども向けの本で、鳥や動物の言葉について研究《けんきゅう》している人たちが紹介《しょうかい》されているんだ。ぼくは、子どもの時にこの本に出合って、大きくなったら研究者になりたいって思ったんだよ」

和彦《かずひこ》は、手渡《てわた》された本を、まぶしそうに見つめた。新しい世界へのパスポートのように見えていた。

和彦は、お茶と本のお礼をいって、神鳥さんの家を出た。

カア〜カア〜

ふと、カラスの声に気づいて、空を見あげた。
寝《ね》ぐらがあるのだろうか。カラスたちは群《む》れをつくって、山の方へ飛《と》んでいく。

カア〜カア〜
クアオ〜クアオ〜

和彦は、じっと耳をすました。

（まるで、仲間《なかま》に呼《よ》びかけているみたいな鳴き声だ。あ……！）
和彦《かずひこ》の口元に、ぽっと笑《え》みが浮《う》かんだ。

――さあ、家に帰ろうよ。
――ああ、帰ろう。

たしかに、そう聞こえたのだ。
和彦は、雅也《まさや》さんから借《か》りた本を胸《むね》に抱《だ》き、はずむような足どりで家に向かったのだった。

2　わし、おっちゃんでがす

わし、おっちゃんでがす。野良猫歴《のらねこれき》十年のベテランオス猫で、ほかの猫たちからは、「おっちゃん」と呼《よ》ばれて、たよりにされているんでがす。

茶トラ猫といって、体にあるトラのようなしまもようがじまん。自分では、なかなかかっこいいと思ってるんだけどな。

わしの縄張《なわば》りは、小学五年生の高倉野々花《たかくらののか》の屋敷《やしき》だ。二階建《だ》ての家、牛を飼《か》っている牛舎《ぎゅうしゃ》、牛のエサになるワラを入れておく納屋《なや》、トラクターをしまっておく物置《ものおき》まであって、とにかく広い。

ふかふかのワラの布団《ふとん》もあるし、牛のエサをねらってねずみたちがやってくるから、ごちそうには不自由しない。さらに、野々花の父ちゃんからは、ねずみ退治《たいじ》でなかなか役に立つやつだと、いちもく置《お》かれている。

それなら、野良猫《のらねこ》じゃなくて飼《か》い猫《ねこ》じゃないかって？　んにゃ、わしはれっきとした野良猫でがす。生まれた時から野良で生きてきたせいか、人間に完全《かんぜん》に心を開くことができないのだな。それに、キャットフードなどには手は出さない。狩《か》りをした野鳥やねずみで生きると決めている、誇《ほこ》り高き猫なのである。えへん。

とはいえ、野良猫の道はなかなかきびしい。なんといっても、ここは温かな小屋をひとり占《じ》めできる、天国のような場所だ。ほかの野良猫が、いつ、わしの縄張《なわば》りを荒《あ》らしに来るかわからない。もし、今の縄張《なわば》りを追われたら、わしは、食いものに苦労することになるだろう……。

それはさておき、このところのわしは、野々花《ののか》のことが気になってしかたがない。

わしが、街《まち》の中をパトロールしていた時のことだ。野々花が仲良《なかよ》しの奈々《なな》と言《い》い争《あらそ》いをする場面に、出くわしてしまったのだ。

「もう、野々花となんて口をきかない！」

「あたしも、奈々なんか知らない！」

野々花は家に走ってもどるなり、はあっとため息をついた。

学校の行き帰りはいつもいっしょだったのに、ふたりはその日から、おたがいに知らんぷりをして歩くようになった。

ふたりの間に横たわるみぞは、なかなかうまらない。

わしの胸《むね》はちくちくといたんだ。野々花《ののか》も奈々《なな》も、ひどく悲しそうな顔をしていたからな。さっさと仲直《なかなお》りをしてしまえばいいのに、まったく困《こま》ったふたりでがす。しかし、野良猫《のらねこ》のわしは、遠くから心配することしかできんかった。

そんなある日、事件《じけん》が起きた。わしの縄張《なわば》りであるワラ小屋の二階に、野良の三毛猫《みけねこ》がやってきたのだ。大きなおなかをしていて、今にも赤《あか》ん坊《ぼう》が生まれそうだった。

わしは見かねて、そのメス猫をワラ小屋に置《お》いてやった。

しばらくするとかわいい赤《あか》ん坊猫《ぼうねこ》の声が聞こえた。

ミャウミャウ

赤ん坊の声は、オス猫のわしが聞いても、心地《ここち》のよいものだ。何日かして、ワラ小屋の二階からメス猫が出てきた。げっそりとやせて、骨《ほね》と皮ばかりになっている。

わしは、胸《むな》さわぎがして声をかけた。

――どうした、おまえさん、具合でも悪いのか？

――おっちゃん……。どうか、子どもたちをお願《ねが》い……。

メス猫《ねこ》は、弱々しい声でそういうと、そのままふらふらよろめきながら、どこへともなく行ってしまった。

わしは、メス猫を見送ったまま、声も出んかった。

わしら野良猫《のらねこ》は、死をさとると、だれの目にもつかない場所へ行く定《さだ》めになっているからな。

母猫は死んでしまう。子猫だけが残《のこ》される。

どうすりゃいいんじゃや、わし！

とにかく、ようすを見に行かねばと、ワラ小屋の二階へかけあがった。

そこには、かわいらしい子猫が五匹《ひき》、丸くなって眠《ねむ》っていた。

そっと近づいた時、茶色のしまもようの子猫《こねこ》が、わしの毛をぎゅっとにぎった。そのまま、おなかに顔をうずめて、わしのおっぱいをちゅうちゅう吸《す》い出《だ》した。

——こりゃ、やめろ。くすぐったいじゃないか。

そういっても、子猫はおっぱいを吸うのをやめない。

かわいそうに、よほど腹《はら》をすかせてい

るのだ。だがな、わしはおっちゃんでがす。どんなにがんばっても、お乳《ちち》は出ないのである。

どうする……。

よくよく子猫《こねこ》たちを見ると、まだ目も開ききっていないようだ。お乳も必要《ひつよう》だし……。

その時、ハッといい考えがひらめいた。

わしは、家の前で野々花《ののか》の帰りを待った。

野々花は相変《あいか》わらず、苦虫《にがむし》をかみつぶしたような顔で歩いてくる。

――ニャオン、わしについてこい。助けが必要なんじゃ。

わしは呼《よ》びかけるように鳴いてから、数歩進んで、野々花をふり返った。

野々花《ののか》は、キョトンとしたまま、わしを見つめている。

――ニャオン、助けてくれ。ニャオン。

鳴いては数歩進んでふり返る、を何度かくり返す。

野々花は首をかしげると、わしに向かってつぶやいた。

「あたしに、ついてこいっていうの？」

――ニャウン、そうじゃ、そうじゃ！

わしは、ゆっくりとワラ小屋へ歩いた。

野々花は、わしをあやしむような、同時に、好奇心《こうきしん》がそそられているような面持《おもも》ちで、ついてくる。

わしは、ワラ小屋の二階へ続《つづ》くはしごをとんとんとあがってい
く。野々花《ののか》も、おっかなびっくりあがってくる。
野々花が、うれしそうにさけんだ。
「うわあ、子猫《こねこ》だ！　かわいい〜！」
よし、まずは作戦第一段階《だんかい》の成功《せいこう》でがす。
はしごをおりようとするわしを、野々花が呼《よ》び止《と》めた。
「待って！　もしかして、この子たちを、あたしに見せようとして
くれたの？」
――ニャウン、そうじゃ。
わしがひと声鳴くと、野々花が信《しん》じられないというように、目を

大きくした。
子猫《こねこ》をながめて満足《まんぞく》したのか、野々花《ののか》ははずむような足どりで家へもどっていった。
次の日も、わしは、家の前で野々花の帰りを待っていた。
「また、子猫のところに連《つ》れていってくれるのね？」
――ニャウン、そうじゃ。
野々花は、うきうきしながらわしについてくる。
うっとりと子猫をながめていたが、さすがの野々花も気づいたようだ。
「あれ、子猫たちがぐったりしている。まさか、母猫がいないの？

お乳《ちち》を飲んでないってこと？」

野々花《ののか》が、わしの目をまっすぐに見た。

「これって、まずいよね……」

――ニャウン、そのとおりじゃ。

わしも、野々花の目を見つめ返しながら、ひと声鳴いた。

野々花はこくりとうなずくと、子猫《こねこ》をワラの中から抱《だ》きあげ、一匹《ぴき》ずつ家へ運んでいった。わしは、最後《さいご》の子猫を抱いた野々花の後を追いかけ、家の窓《まど》からそっと中をのぞいた。野々花が連《つ》れてきた五匹の子猫たちを前に、母ちゃんが目を丸くしているところだった。

「母さん、母猫がいないみたいなの。昨日《きのう》よりも弱っているし、このままじゃ子猫《こねこ》たちが、死んじゃう。どうしよう、どうしよう」

母ちゃんは、ふかふかの毛布《もうふ》で子猫《こねこ》たちをくるみながら、野々花《ののか》にいった。

「わかったわ。今すぐ、奈々《なな》ちゃんのところから、子猫用のミルクと哺乳瓶《ほにゅうびん》を買ってきて」

「え、奈々の家へ……？」

野々花が一瞬《いっしゅん》ためらった時、子猫が「ミウ」と鳴いた。

おなかがすいた、と助けを求《もと》めているのじゃ。

野々花はこくりとうなずくと、自転車に飛《と》び乗《の》り、奈々の家に向かった。奈々の家はペットショップをしていた。

しばらくすると、息を切らして、野々花《ののか》がもどってきた。おどろいたことに、奈々《なな》までいっしょだった。

野々花が張《は》り切《き》って、奈々に声をかける。

「奈々、あたし、茶色のしまもようの子猫《こねこ》にミルクをあげるね」

「うん、わたしは、黒い子猫にあげるね！」

ふたりは、仲《なか》たがいしたことなどすっぱりと忘《わす》れたように、力を合わせて、子猫たちにミルクを飲ませていった。

「子猫たち、元気になるといいね」

「うん、きっと、元気になるよ」

「明日も来ていい？」

「うん、もちろんだよ」

野々花《ののか》と奈々《なな》は、晴れ晴れとした笑顔《えがお》で別《わか》れた。

わしはほっとした。これで、子猫《こねこ》たちの命は救《すく》われた。野々花と奈々の仲直《なかなお》りまでおまけについた。めでたしめでたし。

わしはひとり、ワラ小屋へともどった。子猫たちのいなくなった小屋の中は、急に広くなったようで、胸《むね》がきゅっとしめつけられた。

――ミウミウ、ミウミウ。

つい、子猫たちの鳴き声を思い出してしまう。なんてったって、おっぱいまで吸《す》われちまったんだからな。

子猫《こねこ》たちは、野々花《ののか》と奈々《なな》の手で、順調《じゅんちょう》に大きくなっている。あいつらは、もう、野良猫《のらねこ》ではない。人間に守られて生きる飼《か》い猫《ねこ》だ。だが、猫社会のルールも知っておかなければいかん。

わしは、時々、子猫たちに教えをさずけに、野々花の家にしのびこんだ。玄関《げんかん》が網戸《あみど》になっているから、爪《つめ》で引っかけりゃ、ちょちょいのちょいでがす。

子猫たちも、わしが来るのを待っている。

――ミャウ、おっちゃん、今日は何のお話？

――ニャオ、いいか、子猫たちよ。あいさつをする時は、鼻をくっつけ合うか、おしりのにおいをかぐこと。ボス猫《ねこ》にはけっしてさからわないこと。仲《なか》の悪い猫とはけんかにならないように距離《きょり》をとること。

——ミャウ、おっちゃん、わかったよ。

——人間の家具や壁《かべ》でツメをといではだめじゃぞ。飼《か》い主《ぬし》には愛《あい》情《じょう》でこたえろ。立派《りっぱ》な飼い猫として生きのびるんじゃ。

わしが教えをさずけていると、ガタガタッと音がした。

「まあ、野良猫《のらねこ》が家の中に！　大変《たいへん》、子猫たちに何をしようっていうの？」

まずい、野々花《ののか》の母ちゃんに見つかった。

「こら〜！」

あわてて逃《に》げ出《だ》したわしを、母ちゃんがほうきをふりまわして追いかけてくる。わしは、すんでのところで外へ飛《と》び出《だ》した。

母ちゃんが、怒《いか》りにまかせてぴしゃりと網戸《あみど》を閉《し》める音がした。

「もう、野良猫《のらねこ》め！　開けっぱなしにして！」

母ちゃんの声が、ぐさりと胸《むね》にささる。できるもんなら、わしだって網戸を閉めてみたい。だが、猫の頭の中には、開けた戸を閉めるというプログラムは入っていないんじゃ。

「みんなだいじょうぶだった？　さっきの野良猫にいじめられなかった？」

母ちゃんが、さっきとは別人《べつじん》のような甘《あま》い声で、子猫《こねこ》たちを抱《だ》きしめる。

――ミウミウ、お母ちゃん！

いいぞ、子猫たちよ。お前たちは、もう、立派《りっぱ》な飼《か》い猫《ねこ》でがす。わしの役目もそろそろ終わりのようだな。ここの縄張《なわば》りを、子猫たちに明《あ》け渡《わた》す時が来たようだ。

明日からの住《す》み家《か》はどうするのかって？

心配《しんぱい》ご無用《むよう》。ひとりでも、何とか生きのびてみせるさ。

そうとも、わしは、誇《ほこ》り高き野良猫《のらねこ》、おっちゃんでがす。

3 ソロモンの指輪《ゆびわ》

小学六年生の亘《わたる》は、夏休みに魔法使《まほうつか》いが主役の映画《えいが》を見てからというもの、魔術《まじゅつ》の世界にはまっていた。

（姿《すがた》を消したり、瞬間移動《しゅんかんいどう》をしたり、映画の中の魔法使いはかっこいいなあ。ぼくも魔法が使えたら、学校までだらだら歩かなくていいし、いやなやつに会っても、さっとかくれられるのに）

亘は、家でも学校でも、魔術に関する本や雑誌《ざっし》を熱心《ねっしん》に読むようになった。

「亘って、頭の中が魔法ばかりだな」

「なんだか、うす気味悪いよ」

クラスの子たちからは、そう陰口《かげぐち》をたたかれるようになり、亘はしだいに、クラスの中でも浮《う》いた存在《そんざい》になっていた。

(ふん、今に見ていろ。魔術《まじゅつ》の力で、みんなをあっといわせてやるぞ。その時に後悔《こうかい》したって遅《おそ》いんだからな)

亘《わたる》の胸《むね》の中に、少しずつ、どす黒いものが広がっていった。

そんな亘にも、優《ゆう》だけは、変《か》わらずに声《こえ》をかけてくれた。

「亘、みんなとサッカーしようよ」

「いいや、ぼくは、いい」

「わかった。でも、いつでも待っているからね」

そういってくれる優が、亘にとってひと筋《すじ》の光だった。

(やさしいやつ。ぼくも、優のために何かしてあげたいな)

そんなある日のこと、学校の帰り道をとぼとぼと歩いている亘《わたる》を、優《ゆう》が後ろから追いかけてきた。

「亘、いっしょに帰ろう！」

「あ、うん……」

優が、いっしょに歩いてくれる。それだけで、亘は、ひとりぼっちのさびしさから救《すく》われるような気がするのだった。

亘は歩みをゆるめると、このところずっと考えていたことを口に出した。

「ねえ、優には、こんなことができたらいいなって思うことがある？」

「え、とつぜん、どうしたの？」

優《ゆう》はおかしそうにくすりと笑《わら》ったが、急にまじめな表情《ひょうじょう》になった。

「そうだね。うちは犬を飼《か》っているんだけど、ぼく、この間、犬が病気になっていたことに気づかなくて、後悔《こうかい》しているんだ。犬の気持ちがもっとわかったらな、なんてね」

「ふうん。犬の気持ちを知りたいってことか。あ、たしか、動物と話ができる魔法《まほう》があったぞ！」

「魔法？」

「そうさ、ぼくにまかせておいて！」

「で、でも……」

優《ゆう》が何かいいかけたのも聞かずに、亘《わたる》は、張《は》り切《き》って家に走り、魔術《まじゅつ》の本を調べ始めた。

「あ、あったぞ。これだ！」

探《さが》しあてたページには「ソロモンの指輪《ゆびわ》」があった。

三千年近く前に、ソロモン王という立派《りっぱ》な王がいた。天使から指輪をさずけられ、その指輪をはめると、動物や植物と話ができたという。

本には、指輪の挿絵《さしえ》もあった。黄金の輪《わ》にはめこまれた赤い玉の中に、金色の星が浮《う》かんでいる。

（これだ！　この指輪《ゆびわ》があれば、優《ゆう》を喜《よろこ》ばせることができる。でも、どうやったら手に入れられるんだろう……）

亘《わたる》は、家を出ると、街《まち》の中をあてどもなく歩き始めた。

頭の中は、ソロモンの指輪のことでいっぱいだ。

歩き続《つづ》けているうちに、亘の目が、ふと路地裏《ろじうら》に向いた。

（あれ？　こんなところで、何をしてるんだろう？）

会社員なのか、黒いスーツ姿《すがた》の男が、亘に背《せ》を向けるようにして、カプセルトイを設置《せっち》しているところだった。

（どうせ、お菓子《かし》の形のキーホルダーか恐竜《きょうりゅう》の卵《たまご》だろう）

そう思いながら、なにげなくカプセルトイを見て、亘《わたる》は「え？」と目をむいた。きらきらと輝《かがや》く指輪《ゆびわ》が見えたからだ。

亘は何かにひきよせられるように、路地裏《ろじうら》に入っていった。

けれどもよく見ると、カプセルトイの中に入っているのは、安っぽいおもちゃの指輪ばかりだった。

「なあんだ。つまんない」

がっかりしてつぶやいた瞬間《しゅんかん》、スーツ姿《すがた》の男がふり向いた。

亘は、全身に鳥肌《とりはだ》が立つのを感じた。

男の目は赤く光り、くちびるは紫色《むらさきいろ》をしている。

（こ、この人、人間じゃない！）

男は冷《つめ》たい笑《わら》いを浮《う》かべていった。

「へへへ。いらっしゃい。きみ、ソロモンの指輪《ゆびわ》がほしいんだろう？　出してやってもいいよ」

「え、本当ですか？　お、お願《ねが》いします」

亘《わたる》の口が勝手にそうしゃべっていた。

男は、にやりと笑った。

「本当だとも。これでいいかな？」

男が、亘の前にカプセルをさし出した。

カプセルの中には、赤い玉の中に金色の星が浮かんだ指輪が入っていた。本にあった、ソロモンの指輪とそっくり同じだ。

「そ、それって、本物ですか？」

亘《わたる》の声が、思わずうわずる。

男はそれには答えず、指輪《ゆびわ》の入ったカプセルをカプセルトイの中にポンと放りこむと、亘に向かって銀色のメダルを放り投げた。

「さあ、これから先は、おれときみのどっちに運があるか、運だめしだぜ。ゲヘヘヘ」

男は、地の底《そこ》からわいてくるような不気味《ぶきみ》な声で笑《わら》うと、ふっと姿《すがた》を消した。

（あの人は、悪魔《あくま》？　それとも、いたずら好きのおじさん？　いや、そんなことより、あのカプセル！）

亘《わたる》は男が投げてよこしたメダルをにぎりしめ、カプセルトイに顔を近づけた。ソロモンの指輪《ゆびわ》は、おもちゃの指輪にうもれてしまって見えない。

（このメダルでまわせるのは一度だけだ。たのむ、あたってくれ）

亘は、必死《ひっし》に祈《いの》りながら、ガチャっとレバーをまわした。

ころんと転がり出てきたカプセルを見て、亘はほくそ笑《え》んだ。

（やったぞ、運があったのはぼくの方だ。ソロモンの指輪を手に入れたぞ。優《ゆう》にあげよう。喜《よろこ》んでくれるかな）

亘は夢中《むちゅう》で優の家に走り、玄関《げんかん》のインターホンを押《お》した。

「あれ、亘、どうしたの？」

玄関《げんかん》に顔を出した優《ゆう》は、はあはあと息を切らしている亘《わたる》を見て、目を見張《みは》った。

亘は、指輪《ゆびわ》の入ったカプセルをさし出した。

「優、ぼく運だめしに勝って、ソロモンの指輪を手に入れたんだ！」

「ソロモンの指輪？」

「うん。動物と話ができる魔法《まほう》の指輪だよ。これさえあれば、犬のいいたいことがわかるんだ」

優は、まじまじと亘の顔を見ていたかと思うと、カプセルを開けて、指輪をつまみあげた。

「ぼくのために？　とてもきれいな指輪だね。ありがとう」

目を細める優《ゆう》を見て、亘《わたる》はたまらなくうれしくなった。

「亘、せっかくうちに来たんだから、クッキーに会っていってよ」

リビングに通された亘は、ソファーに横たわるうす茶色の犬に目をひきつけられた。

(この犬がクッキーか。本当だ。こんがりやけたクッキーのような毛色……)

クッキーはむっくりと起きあがり、亘のそばにやってきた。

「クッキー、ぼくの友だちの亘だよ」

優が声をかけると、クッキーは「ワン」と鳴いた。

優が、亘にほほ笑《え》んだ。

「なでてほしいっていってる。なでてあげて、喜《よろこ》ぶよ」

クッキーは、しっぽをふりながら、人なつこい目を亘《わたる》に向ける。

「あ、うん……」

亘は、クッキーの背中《せなか》をそっとなでた。つやつやとしたやわらかい毛が、手のひらに心地《ここち》よい。

クッキーが鼻を鳴らすように「クウン、クウン」と鳴いた。

亘は、「え？」と自分の耳をうたがった。

――亘くん、仲良《なかよ》くなろう。

クッキーがそういったような気がしたか

らだ。

「ふふふ、亘《わたる》にも、クッキーのいったことがわかったみたいだね」

優《ゆう》は「これ返すね」といって指輪《ゆびわ》をさし出すと、亘の手のひらにのせた。そして、あたたかな笑《え》みを浮《う》かべながら、おだやかな口調《くちょう》でいった。

「ぼくは、魔法《まほう》の力を借《か》りるよりも、いっしょうけんめいに世話《せわ》をしながら、クッキーの心に近づきたいんだ。それに、パパがいつもいっているんだ。かんたんに手に入れたものほど、手放すのも早いってね」

「優……、ぼく……」

「亘《わたる》の気持ちは、とってもうれしかったよ。でも、ぼく、それだけで十分なんだ。ありがとう」

亘は、優《ゆう》のやさしさが、体の中に流れこんでくるような気がしていた。

「また、クッキーに会いに来てね」

優がそういうと、クッキーが亘にかけより、「クウン、クウン」と鳴いた。

――亘くんのことが、好《す》きだよ。

亘の耳には、今度は、はっきりとそう聞こえていた。

「うん、また来るよ」

亘《わたる》は、優《ゆう》とクッキーに笑顔《えがお》で返事をした。

亘の胸《むね》からはどす黒いものが消え、かわりに、あたたかな光でみたされていた。

路《ろ》地《じ》の前まで来ると、亘は、指輪《ゆびわ》をにぎっていた手を開いた。

(ぼくには、もう、魔法《まほう》は必要《ひつよう》ないや)

指輪をカプセルトイの上にそっと置《お》くと、家に向かって走り出した。

入れかわるように、路《ろ》地《じ》裏《うら》の暗闇《くらやみ》に車が現《あらわ》れ、中から黒いスーツ姿《すがた》の男がおりた。

男は、亘の置いていった指輪をカプセルにしまうと、玉遊びのようにカプセルを手先で軽く投げながら、ぶつぶつとひとりごとをつぶやいた。

「かつて、偉大《いだい》なるソロモン王がいた。大天使から指輪《ゆびわ》をおくられたソロモン王は、動物や植物と話ができるようになり、天使と悪魔《あくま》を自在《じざい》にあやつった。やがてソロモン王が亡《な》くなると、指輪は王とともに墓《はか》に葬《ほおむ》られたが、絶大《ぜつだい》な力を手に入れようと、指輪を求《もと》めるものもいた。だが、力を使いこなせない人間がソロモンの指輪をはめたら最《さい》後《ご》……」

男は、ふっとさびしそうに笑《わら》った。

「次のものが指輪《ゆびわ》をはめるまで、永遠《えいえん》の闇《やみ》から抜《ぬ》けられないのさ。そう、おれのようにな」

男は、肩《かた》をすくめ、車に乗りこんだ。

「けっきょく、運だめしに勝ったのはあの子の方だ。友だちのやさしさに救《すく》われたのさ。そう、やさしさは、最強《さいきょう》の魔法《まほう》だからな。さて、次の街《まち》に行くとするか」

その瞬間《しゅんかん》、男の乗った車は、暗闇《くらやみ》の中に消えていった。

4　はちみつ色の月夜に

小学五年生の池上翔太《いけがみしょうた》は、冬休みに、いとこの淳《あつし》の家にとまりに行くことになった。

車で一時間以上《いじょう》走り、やっと山の中にある家に着くと、淳が、白い息をハアハアとはきながら走ってきた。淳と翔太は同い年で、お盆《ぼん》や正月にはママの実家で遊ぶ仲《なか》だった。

じつは、淳の家にとまるのは初《はじ》めてで、翔太はこの日を楽しみにしていた。

「翔太！」

「淳、何して遊ぶ？」

翔太は、すかさずママからくぎをさされた。

「遊んでばかりいないで、ちゃんと毎日、ドリルをやるのよ」

「へ〜い」

翔太《しょうた》は気のない返事をした。

これからの五日間、淳《あつし》とともとことん遊ぶつもりで来たのだ。

パパとママは、また迎《むか》えに来るといって、車で帰っていった。

おじさんの家では、牛を百頭も飼《か》っている。翔太は、牛に牧草《ぼくそう》を食べさせたり、牛舎《ぎゅうしゃ》の通路を竹ぼうきではいたり、淳といっしょにおじさんの手伝《てつだ》いをした。

両親が会社員で、街中《まちなか》のマンションで暮《く》らす翔太にとっては、淳の家の何もかもがめずらしく、おもしろかった。

その夜、翔太《しょうた》は淳《あつし》のとなりに布団《ふとん》をしいて寝《ね》た。

ふと、ブオーブオーという音に気づき、目を開けた。

(今何時だ？　いったい何の音？　聞いたこともない変《へん》な音だ)

部屋の時計は、夜の十一時をさしている。

となりの淳はすでに布団から出て、カーテンをめくって外を見ていた。

「淳、何かあったの？」

淳が、ふり向いて困《こま》ったように頭をかいた。

「悪い、起こしちゃったな。牛が鳴いているんだ」

翔太は、思わず耳をうたがった。

「ブオーって、あれが牛の鳴き声なの？　牛って、モーって鳴くんじゃないの？」

「うん。牛が部屋から逃《に》げたんだ。ほかの牛たちが、早くもどってこいって鳴いているんだ」

翔太《しょうた》は、目をむいた。

（淳《あつし》には、牛たちが何をいっているのか、わかるってこと？）

階段《かいだん》の下の方から、ガラッと、玄関《げんかん》の戸を開く音が聞こえた。

淳が、布団《ふとん》に走りより、枕元《まくらもと》にたたんでおいたズボンをつかむ。

「父ちゃんたちが牛をつかまえに行ったみたい。おれ、ちょっと手《て》伝《つだ》ってくる！」

「え、こんな夜中に？」

「うん、牛をつかまえるのに、人手がいるからね」

翔太《しょうた》は迷《まよ》った。

（ぼくも、行くべきなんだろうか。でも、こんな真《ま》っ暗闇《くらやみ》の中に出ていくなんて、おそろし過《す》ぎる……）

淳《あつし》の家のまわりには、街灯《がいとう》がひとつあるだけだ。布団《ふとん》に入る前に窓《まど》の外を見た時、あまりの闇《やみ》の深さに、翔太はぞっとしていた。

淳は、パジャマの上からさっとズボンをはき、翔太にいった。

「いっしょに行ってみる？」

「ぼくも？　暗くてこわいよ」

「いや、けっこう明るいぞ」

淳《あつし》が、シャッとカーテンを開けた。雲の切れ間に、はちみつ色をした満月《まんげつ》がこうこうと輝《かがや》いている。

淳が、ひらりとコートをはおった。

「じゃあ、おれ、行ってくる!」

「あ、待って、やっぱりぼくも行く!」

翔太《しょうた》は、大急ぎでコートとズボンを身につけ、外に出た。

「うわあ、きれい……!」

翔太は、夜空に浮《う》かぶ満月を見あげて、

ため息をもらした。はちみつ色の光が、あたり一面に降《ふ》りそそいでいる。

(ぼくの住む街《まち》の夜は、いつも、ビルや街灯《がいとう》、行《ゆ》き交《か》う車の、さまざまな色の光があふれている。でも、その光の色とは、ぜんぜんちがう……!)

緑の杉山《すぎやま》も、赤いはずのトラクターも、まるではちみつ色の月に色を吸《す》いとられてしまったように、くすんだ色に変《か》わっている。

翔太《しょうた》は、異世界《いせかい》にぽんと放りこまれたような気持ちになった。

「翔太、こっち!」

淳《あつし》の声に、翔太ははっとわれに返った。

ンボウ～ンボウ～！

牛たちがさかんに声をあげる。

氷のような空気がコートの間からさしこみ、翔太《しょうた》は首元いっぱいまでファスナーをあげた。

灯《あか》りのついた牛舎《ぎゅうしゃ》から、おじさんが出てきた。

「お、翔太も来たのか。助かるよ」

「うん！」

翔太は、おじさんに頼《たよ》りにされているような気がして、胸《むね》をそらせて返事をした。

「部屋の柵《さく》がこわれて、牛が三頭ほど逃《に》げ出《だ》したんだ。部屋の方に追いこむから、淳《あつし》といっしょに逃げ道をふさいでくれ」

おじさんはそういって、牛舎《ぎゅうしゃ》の裏《うら》にまわっていった。

とつぜん、翔太《しょうた》の前に、大きな影《かげ》がぬらりと現《あらわ》れた。

「あ、牛だ！」

牛たちが、体をゆさゆさとゆらしながら、近づいてくる。興奮《こうふん》しているのか、フウフウと鼻息の音まで聞こえる。鼻の穴《あな》からふき出す白いけむりを目にして、翔太はちぢみあがった。

「ねえ、牛がおそってきたらどうしよう……！」

「だいじょうぶ。牛たちは、どこへもどればいいかわからなくなって、不安なだけだから」

淳《あつし》が、道をふさぐように、両腕《りょううで》をいっぱいに広げた。すると牛たちは、淳の横のスペースを見た。そこを逃《に》げ道《みち》にするつもりだ。

「翔太《しょうた》、腕を広げて、自分の体を大きく見せるんだ。そうすれば、牛もこわがって、こっちには来ない。おれのまねをしろ。いいな！」

翔太は、淳の気合いが、どんと胸《むね》に飛《と》びこんできたような気がした。勇気《ゆうき》をふりしぼり、両腕を広げて逃げ道に立ちふさがると、牛たちが、困《こま》ったように、頭を横にふりながら立ち止まる。

淳《あつし》が、おだやかな調子で牛たちに話しかける。

「よしよし。ここから先には、行っちゃだめだぞ。父さんのいうことを聞いて、部屋にもどるんだ。よしよし」

牛たちは、耳をぴくぴくさせていたが、一歩二歩と後ずさりを始めた。

(すごい、淳のいっていることが伝わっているのか……)

翔太《しょうた》は、思わずごくりとつばを飲みこんだ。

「よ〜し、よし、こっちだ、そう、そうだ」

おじさんが、牛たちの後ろから声をかけながら、もといた部屋へと追いこんでいく。逃《に》げた牛たちがもとの部屋にもどると同時に、まわりの牛たちの鳴き声もぴたりとやんだ。

「はあ〜、よかった……」

翔太《しょうた》はほっと胸《むね》をなでおろすと、淳《あつし》と並《なら》んで家へと歩き出した。

同じ背丈《せたけ》のはずの淳が、自分よりも大きく見える。

翔太は、ため息まじりにいった。

「淳ってすごいよな〜。さっき、牛と話をしていただろ？」

「いや、話ってほどじゃない。牛の気持ちがなんとなくわかったり、こっちの気持ちを伝《つた》えたりはできるんだ」

翔太は立ち止まって、淳の背中《せなか》に向かっていった。

「ぼくも、ここにいる間に、牛の気持ちがわかるようになるかな？」

「もちろん、わかるさ。わかりたいと願《ねが》っていればね」

たちまち、翔太《しょうた》の胸《むね》の中がぽっと熱《あつ》くなった。

砂利道《じゃりみち》の上の小石は、月の光を浴《あ》びて、やわらかな光をまとっている。ふしぎなことに、さっきまでおそろしかった山の影《かげ》も、すっかり平気になっていた。

翔太は、むしょうに走りたくなった。

「おい、待て！」

かけ出した翔太に、たちまち淳《あつし》が追いついてくる。

はちみつ色の月の下を、ふたりは白い息をはきながら、ぐんぐんと走った。

5 動物たちのささやき

小学六年生の麻実《まみ》は、夏休みに、家族で山の中にあるキャンプ場へ行くことになった。

「そんなとこ、つまんない。買い物に行ったり、家でゲームをしたりしている方がいいのに」

「麻実ったら、そんなこといわないの。きれいな空気を吸《す》って、身も心もリフレッシュできるんだから」

「そうだよ。外で料理したご飯《はん》は、とびきりうまいんだぞ」

パパとママは張《は》り切《き》っているから、おつきあいとがまんして、車に乗りこんだ。

街《まち》を抜《ぬ》けると、まわりは緑の山に囲《かこ》まれてきた。

（山、山、山、山ばっかり……）

麻実《まみ》は、すっかりたいくつしていた。そのうえ、とっくに着いていていいはずなのに、カーナビの矢印《やじるし》は、まだ前方をさしている。

「ねえ、パパ、まだ着かないの？」

「う～ん、もう少しのはずなんだけどなあ……」

「ずいぶん山奥《やまおく》まで来たみたいよ。だいじょうぶかしら……」

ママが心配そうに窓《まど》の外を見る。麻実も不安にかられて、車の窓に顔を張《は》りつけた。

やがて、木々の間から、白いもやが立ちこめてきた。

「今度は、もやまで出てきたぞ。まいったなあ……」

パパはいったん車を止め、カーナビの設定《せってい》を調べ始めた。その間に、麻実《まみ》の乗った車は、ミルクのような白いもやと、不気味《ぶきみ》なほどの静《しず》けさにつつまれていた。

(こわい。このまま、山の中に飲みこまれてしまいそう……)

麻実は、背中《せなか》がぞくっとするのを感じていた。

ザワザワザワ……。

(え？　人の声？　風の音？)

麻実が耳をすますと、ざわめきのようなものがふっつりと消えた。と同時に、目の前のもやも、すうっと晴れていった。

「なあんだ。やっぱりここでよかったんだよ」

パパが、ほっとしたような声をもらした。すぐ前方に、コテージのようなものが見える。どうやらキャンプ場の受付《うけつけ》のようだ。

パパが駐車場《ちゅうしゃじょう》に車を止めた。

「あれ、うちだけしか来ていないの？」

麻実《まみ》は首をひねった。駐車場に、ほかの車が一台もなかったからだ。

「いや、団体《だんたい》さんが来ているようだよ。たぶん、バスで来たんじゃないかな。さあ、荷物《にもつ》をおろそう」

パパのいうとおり、キャンプ場の中には、たくさんのテントが張《は》られていた。麻実は、パパとママといっしょに荷物を持ち、コテージへ向かった。

「ようこそ」

太い声がして、コテージから、管理人《かんりにん》さんが出てきた。その姿《すがた》を見て、麻実《まみ》はぎょっとした。

（ずいぶん、体の大きなおじさん。冬でもないのに、茶色い毛皮《けがわ》のチョッキまで着ている）

すると、管理人さんが、麻実をじろりと見た。

（え？　わたしの声が聞こえたのかな。まさかね）

麻実は、あわてて管理人さんから目をそらした。

管理人さんは、何事もなかったように、ていねいにキャンプ場のルールを教えてくれた。

キャンプサイトに行くと、先に来ていた人たちが、それぞれのテントを張《は》る作業をしていた。

「こんにちは〜」

パパとママのあいさつに、ていねいにおじぎを返してくれるのだが、みんなの姿《すがた》に、麻実《まみ》は首をかしげた。

(どうしてみんな、帽子《ぼうし》や服装《ふくそう》を茶色でそろえているんだろう……。

あ、そっか、団体《だんたい》のユニホームってわけか)

そう納得《なっとく》した時、パパが麻実を呼《よ》んだ。

「お〜い、テントを張るのを手伝《てつだ》ってくれ」

「は〜い！」

キャンプでは、やることはたくさんあった。自分たちでテントやタープを張《は》り、小さなたき火台に火を起こし、ご飯《はん》をつくる。受付《うけつけ》のコテージの近くに水道や流しもあったが、麻実《まみ》の家族以外《いがい》、利用《りよう》する人はいなかった。麻実は、茶色の人たちのようすがつい気になった。

（だれも火も起こさない。みんな、いったい何を食べるんだろう）

パパとママといえば、慣《な》れない火起こしやたき火での調理に追われていて、他人のこと

まで気にかけているひまは、なさそうだった。やっとできあがったパエリアを食べ終えたころには、空はすっかり暗くなっていた。

パパとママは大きなあくびをすると、ご飯《はん》の片《かた》づけもそこそこに、寝袋《ねぶくろ》の準備《じゅんび》を始めた。

「もう、まぶたがくっつきそうだ。なんだか、ひどくつかれてしまったよ」

「ほんと、眠《ねむ》くてしかたがないわ。早く寝《ね》ましょう」

パパとママはランプを消すと、さっさと寝袋に入ってしまった。

(つまんない。やっぱり家でゲームの方がよかったのに)

テントの中が真っ暗になり、麻実《まみ》はしかたなく寝袋にもぐりこんだ。あたりはしんと静《しず》まり返っていて、暗闇《くらやみ》の深さと静けさに、かえって目がさえてしまう。

やっとうとうとし始めた時、麻実《まみ》は大きな音に気づき、はね起きた。

ザッザッザッ……。

(これって、足音? おおぜいの人たちが、わたしのテントのそばを歩いていく……)

どきどきして、心臓《しんぞう》が口から飛《と》び出《だ》しそうだ。麻実は、寝袋《ねぶくろ》を抜《ぬ》け出《だ》し、おそるおそるテントの外をのぞいた。

(何だろう。今からイベントでもあるのかな……)

麻実《まみ》はひゅっと息をのんだ。はっきり見えないが、茶色の人たちが、ぞろぞろとキャンプ場を出ていくようだ。

（いったい、どこに行くんだろう。気になる……）

麻実は、いつのまにか、みんなのあとをついて歩いていた。

しばらく行くと、大きな広場に出た。みんなの影《かげ》が、車座《くるまざ》になった真ん中には、大きな男の人が立っていた。

（あ、管理人《かんりにん》のおじさん！）

麻実は、あわてて両手で口をおさえた。そして、みんなの後ろにそっとかくれた。

管理人さんは、ぐるりとみんなを見まわすと、いきなり麻実を指さした。

「今日のお客は、この子だ」

みんなの目が、いっせいに麻実《まみ》に向く。

(ひゃあ、どうしよう!)

ふるえあがる麻実の耳に、みんなのささやきが聞こえてきた。

「おやまあ、ずいぶん、派手《はで》な色の服を着ているよ」

麻実は自分のジャンパーを見て、ぎくりとした。ピンク色の地にメタリックな黄色のロゴがついている。

(この間買ったばかりのだけど、たしかにちょっと派手だったかな……)

肩《かた》をすくめた麻実《まみ》のまわりで、ささやき声は続《つづ》く。

「われわれの毛色が茶色いのは、草や木にまぎれて、敵《てき》から身を守るためだったのにな」

「人間は、自分も野生動物だったことを忘《わす》れているのさ」

(われわれの毛色? 人間はって、どういうこと? この人たち、いったいだれ?)

ささやき声はしだいに、ざわめきになっていく。

「昔は、人間も、われわれの声をよく聞いてくれたもんだよ」

「そうだな。山の木も、太いものをよく選んで伐《き》っていったもんだが、今じゃわれわれにおかまいなし。大きな木も小さな木も、機械《きかい》でこっそりと伐《き》っていってしまう」

「山は、人間だけのものじゃないぞ」

「そうだ、そうだ！　われわれもここにいるんだ」

（うわあ、どうしよう。みんな、人間に怒《おこ》っているの？）

麻実《まみ》は泣《な》きそうになった。

「みんな、落ち着きなさい。この子は、大事なお客さんだぞ」

管理人《かんりにん》さんがそう呼《よ》びかけると、ざわめきがぴたりとやんだ。

「びっくりさせてすまないね。さあ、ここに来て」

管理人さんが近づいてきて、大きな手で麻実を抱《だ》きあげ、自分のとなりにすわらせてくれた。

「今夜は、年に一度、人間の子どもと過《す》ごすキャンプだ。いっしょに楽しもう」

管理人《かんりにん》さんがまっすぐに手をあげると、ふわりふわりと蛍《ほたる》が集まってきた。無数《むすう》の蛍の光が集まり、光の柱をつくっていく。蛍たちの光が、まるで、キャンプファイヤーのようにみんなを照《て》らす。くっきりと浮《う》かびあがったみんなの顔を見て、麻実《まみ》は息をのんだ。

（この顔は……！　シカ、イノシシ、クマ、リス、ネズミ、ノウサギ、キツネ……！）

みんなは光を囲《かこ》みながら、枝《えだ》で丸太をたたき、体をゆらして歌い始めた。

ドンドコドンドコ　ドコドコドンドコ
聞いておくれ　おれたちの声を
ともに生きる　確《たし》かな証《あかし》を
はるか太古《たいこ》の昔から
命のやりとり　くり返し
未来へつなぐ　山の歌を……

（何だろう、とてもなつかしいひびき……）
麻実《まみ》は、心の奥深《おくぶか》いところにある扉《とびら》が開き、遠い記憶《きおく》が呼《よ》び覚《さ》まされていくような感覚《かんかく》を味わっていた。

ドンドコドンドコ　ドコドコドンドコ……

くり返すリズムとおなかにひびく歌声に、麻実《まみ》は、ゆりかごでゆられているような心地《ここち》よさの中で、いつしかまどろみ始めていた。

「おはよう、麻実、朝だよ」

パパの声に、麻実はぱちりと目を開いた。

「あ！　わたし、いつのまに、ここに？」

ママは気持ちよさそうに伸《の》びをしながら、くすくすと笑《わら》った。

「まあ、麻実《まみ》ったら、何を寝《ね》ぼけているの？　一晩中《ひとばんじゅう》、ここでぐっすり寝《ね》ていたじゃない」

麻実は、あわててテントの外に出た。そこにいたはずの茶色の人たちは消え、かわりに、麻実たちのような親子連《づ》れでにぎわっていた。

「ママ、あの人たちは、いつ来たの？」

「もう、さっきから何をいっているの。昨日《きのう》から、あそこにいるじゃない。さあ、早くホットサンドをつくって食べましょう。朝食がすんだら家に帰るのよ」

ママは、何事もなかったように寝袋《ねぶくろ》をたたみ始めた。

（昨夜《さくや》のことは、夢《ゆめ》だったんだろうか）

麻実《まみ》は、キツネにつままれたような気持ちで、テントの片《かた》づけを手伝《てつだ》った。荷物《にもつ》を持ってコテージに行くと、管理人《かんりにん》さんが出てきた。白髪《しらが》のおじいさんで、前の日に会った大柄《おおがら》なおじさんとは、まるでちがっていた。

（やっぱり夢だったのか……）

麻実は駐車場《ちゅうしゃじょう》に向かって、トボトボと歩き出した。

そこに、山の頂《いただき》から、強い風が吹《ふ》いてきた。

ゴオオオ……。

風が、山の木々をゆらして音を鳴らす。

「あ！」

麻実《まみ》の顔がぱっと輝《かがや》いた。

ドンドコドンドコ　ドコドコドンドコ
聞いておくれ　おれたちの声を
ともに生きる　確《たし》かな証《あかし》を
はるか太古《たいこ》の昔から
命のやりとり　くり返し
未来へつなぐ　山の歌を……

（聞こえる、聞こえるよ！　夢《ゆめ》じゃなかったんだ！　わたしは、動物たちのキャンプに行ったんだ！）

その場に立ちつくす麻実《まみ》を、ママが呼《よ》んだ。

「麻実、家に帰るよ。車に乗って！」

「あ……、うん！」

麻実は、車の窓《まど》から顔を出すと、山の深い緑に目を細めた。

（目の前の山は、つまらないところなんかじゃない。たくさんの動物たちが生きているんだ！）

麻実《まみ》には、そこに生きる動物たちの息づかいが、はっきりと聞こえていたのだった。

6 キツネ里《ざと》村《むら》へいらっしゃい

ぼくの名前は佐藤《さとう》圭太《けいた》。小学五年生になったばかりだ。春に、生まれ育った東京《とうきょう》から、キツネ里村《ざとむら》へと引《ひ》っ越《こ》してきた。

キツネ里村は、昔、キツネがたくさんすんでいたことから、その地名がついたらしい。山の中に家がぽつぽつとあるだけで、小学校がひとつしかない。

本当に、すごい田舎《いなか》だなあ。

まわりにそびえる緑の山々を、ため息まじりにながめた。

パパとママは、あこがれていた田舎暮《ぐ》らしができるって喜《よろこ》んでいる。

東京では、ずっと満員電車《まんいんでんしゃ》にゆられて通勤《つうきん》していた。

けれども最近《さいきん》、オンラインで仕事ができるようになって、会社に行く必要《ひつよう》がなくなったとかで、キツネ里村《ざとむら》への移住《いじゅう》を決めたというわけだ。

パパとママは毎日が楽しそうだけれど、ぼくは、とまどうことばかりだ。

村には、コンビニが一軒《けん》もない。街灯《がいとう》もないから、夜は真っ暗で、あまりにも暗闇《くらやみ》が深過《す》ぎて、日が暮《く》れるのがこわくなるほどだった。

キツネ里村小学校のみんなは、そんなぼくを、大歓迎《だいかんげい》してくれた。

「圭太《けいた》くん、東京《とうきょう》って、森のかわりに、高いビルがいっぱいそびえているんだってね」

「うん、新宿《しんじゅく》には、高いビルがたくさんあるよ。東京《とうきょう》スカイツリーだったら、学校のまわりの山より高いかもね」

「圭太くん、東京の子どもって、学校から帰ると塾《じゅく》に行って勉強ばかりしているって本当？」

「う〜ん、子どもにもよるよ。毎日塾に行っている子もいるし、ぼくは、週に二回行くだけで、あとは、友だちと遊んでた」

「友だちと、どんな遊びするの？」

「カードゲームやオンラインゲームかな」

みんな、東京に興味《きょうみ》があるみたいで、ぼくの話を聞きたがる。

そういえば、みんながゲームをしているのは見たことがない。休み時間は、鬼《おに》ごっこやゴムとび、かくれんぼといった、シンプルな遊びばかりだ。

しかも、みんな、運動が得意《とくい》だ。足の速さやゴムとびの時のジャンプの高さは、同じ小学五年生と思えないほどすごい。追いかけっこをする時の真剣《しんけん》さといったら、殺気《さっき》を感じてしまうほどだ。

さらに、やたらと耳がいい。

授業中《じゅぎょうちゅう》に、みんなのささやきが聞こえる時がある。

「あ、今、校庭をネズミが走っていった……」

は？　いくら静《しず》かな村だからって、ネズミの足音が聞こえるなんて、すご過《す》ぎだろ。

おどろいたけど、自分もネズミの足音が聞こえないか、耳をすましてみた。もちろん、ぜんぜん聞こえなかったけどね。

キツネ里村《ざとむら》小学校の給食《きゅうしょく》は、ちょっと変《か》わっていた。

「げげ、今日も油揚《あぶらあ》げ？」

学校の給食に、毎日油揚げのメニューが出てくるのだ。炊《た》きこみご飯《はん》、野菜炒《やさいいた》めやお味噌汁《みそしる》の具、サラダのトッピングも油揚げだ。

ママもパパもキツネ里村の油揚げのファンで、東京《とうきょう》にいたころは、月に一度ネットでとりよせて食べていた。

三角の形にキツネ色をしていて、まるでキツネの耳みたい。トースターで表面をぱりっとするまで焼《や》いて、バターとしょうゆをたらして食べると、ほっぺたが落ちそうになるほどおいしいのだ。でも、さすがに毎日は食べたことがない。

「なんてったって、この村の特産だからね！」

みんなは、そう胸《むね》を張《は》る。小学校の近くにある加工場《かこうじょう》で、村のお年寄《としよ》りたちが、元気に油《あぶら》揚《あ》げをつくっているのだ。キツネ里村《ざとむら》の油揚げには全国に熱烈《ねつれつ》なファンがいて、毎日たくさんの注文が来るらしい。

風向きによって、加工場から油揚げのにおいが学校に流れてくる

ことがある。とたんに、みんなのおなかがぐうぐうと鳴り出す。それにつられるように、ぼくのおなかまで、ぐうぐうと鳴り出してしまうのだ。

ママは、「加工場《かこうじょう》に行けば、いつでも揚《あ》げたてが買えるのよ！」と大喜《おおよろこ》びだ。

引《ひ》っ越《こ》してきてから数か月もたつと、ぼくも、しだいにキツネ里《ざと》村《むら》の生活になじむようになり、仲良《なかよ》しもできた。となりの席《せき》の祥真《しょうま》だ。

ぼくは、祥真に、ずっと気になっていたことを聞いてみた。

「ここは昔、キツネがたくさんすんでいたところなんでしょ？　今もいるのかな。ここに来てから、まだ見たことがないんだ」

「え？」

祥真《しょうま》はびっくりしたように目をむいたけれど、すぐにぶっと吹《ふ》き出《だ》した。

「あははは。心配しなくても、そのうち会えるよ。なんてったって

ここは、キツネ里村《ざとむら》なんだもの」

そんなある日、先生が教室に入ってくるなり、黒板にチョークで

大きく字を書いた。

――キツネ祭り

ん？　どういうこと？　あっけにとられるぼくをよそに、みんな

がそわそわし出した。

先生は、顔中をにこにこさせながらいった。

「今日は、待ちに待った、キツネ祭り。一年に一度、思い切りはめをはずせる日です。みんなで楽しく遊びましょう！」

とつぜん、先生の頭にピョンピョンと三角の耳が飛《と》び出《だ》した。続《つづ》いて、スカートからポ～ンと、キツネ色のふさふさのしっぽが現《あらわ》れた。

何これ？　コスプレの日なの？

おどろくぼくのまわりで、みんなの頭からもピョンピョンと耳が飛び出し、ポンとしっぽが現れる。ぼくはたちまち、子ギツネに囲《かこ》まれていた。

キャンキャン!

子ギツネたちが、ぼくのまわりで飛《と》びはねる。

夢《ゆめ》なの? 現実《げんじつ》なの? くらくらっとめまいがした。

子ギツネたちの中に、ひとりだけ人間の子どもがいた。祥真《しょうま》だ。

祥真は耳もしっぽもない。あ～、よかった!

ぼくは、祥真に泣《な》きついた。

「うわ～ん、助けて。みんな、キツネになっちゃったよ～」

祥真《しょうま》は、まじめな顔をしてぼくにいった。

「だから、今日は、一年に一度、キツネにもどる日じゃないか」

「へ？」

「もう、いやだな。本当に忘《わす》れちゃったのかい？　ほら、こんなふうにおしりに力を入れて！」

祥真はそういうと、「うん！」と力《りき》んだ。とたんに、頭から耳が、おしりからポ〜ンとしっぽが飛《と》び出《だ》した。

コ〜ンコン！

祥真も、子ギツネたちの中に飛びこんでいく。

どうしよう。ついに祥真までキツネになってしまった。

祥真《しょうま》は、ぼくに、おしりに力を入れろっていったぞ。
どうする？　よ～し、やってみるか。
「うん！」
力《りき》んだとたん、ぼくの頭から耳が、おしりからポンとしっぽが飛《と》び出《だ》したではないか。
うわぁ～、なんてこった！　だれか、助けて！
ぶるぶるふるえていると、子ギツネたちが、うれしそうにぼくに飛びついてきた。
『コンコン、ココン！　そろそろ、おもいだせよ！』
むむ？　子ギツネたちのいっていることが、なんとなくわかってきたぞ。

『けいたくん、やっとおもいだしたんだね。キツネのことばを』

『ん？　おもいだす？』

あ、そうだった。ぼくたち家族は、人間に化《ば》けて、東京《とうきょう》で暮《く》らしていたんだっけ。

キツネ里村《ざとむら》では、時々、情報収集《じょうほうしゅうしゅう》のために、人間社会にキツネを派遣《はけん》しているのだ。ぼくの一家と同じように、日本全国に、キツネの家族が暮らしているってわけ。もちろん、人間にばれないようにね。

あんまり、人間になり切っていたから、自分がキツネであることをつい忘《わす》れていたのさ。

ぼくは、祥真《しょうま》にとびついて、耳をあまがみした。

『コン！　みんな、ぼくがキツネだってわかっているのに、どうしていままで、しらんぷりをしていたんだよ』

『ココココココン！　あはは、ひとをばかすのは、きつねのとくいわざ！』

『ココ〜ン！　うひゃあ、やられた！』

頭を抱《かか》えたぼくのまわりで、みんな

が、どっと笑《わら》った。

いいや、コンコンと笑った。

そうそう、きみのとなりの子も、もしかしたら、キツネ里村《ざとむら》から派遣《はけん》されている子ギツネかもしれないよ。

今度、よ～く観察《かんさつ》してみてね。コン！

7　ありがとう、キナコ

五年生になるタイミングで、パパが転勤《てんきん》になってしまった。

新しい学校へ行くのは、不安しかなかった。もともとおとなしい方だし、人前で話すのも苦手《にがて》なんだもの。

初《はじ》めての日、自己紹介《じこしょうかい》をすることになったけれど、知らない子ばかりを前にひどく緊張《きんちょう》してしまい、声がふるえてしまった。

「す、す、鈴木《すずき》……、あ、亜弥《あや》……、で、です……」

クラスのみんなが、くすくす笑《わら》うのが聞こえた。

顔が真っ赤になったのが自分でもわかる。はずかしさで、その場から逃《に》げ出《だ》したくなった。

また笑われたらどうしよう……。

その時から、学校にいる間は、休み時間もひとりで本を読んで過《す》ごすようになった。初《はじ》めは気をつかって声をかけてくれたクラスの子たちも、しだいにわたしをそっとしておくようになった。

本当は、みんなと、楽しく話をしたい。なのに、勇気《ゆうき》が出ない。

わたしって、どうしてこんなにダメダメなんだろう……。

そんなある日、仕事から帰ってきたママが、声をはずませながら、わたしの部屋にやってきた。

「亜弥《あや》～、見て見て！」

ママは、バスケットを抱《かか》えている。

お菓子《かし》？　くだもの？　何だろう。

読んでいた本を閉《と》じ、バスケットを見た。

ママが、いたずらっぽい目をして、バスケットのふたを開ける。

「ほ～ら！」

「うわあ、ウサギ！」

バスケットの中には、うす茶色の毛をしたウサギがいた。手のひらに乗りそうなほど小さい。

「ウサギはウサギでも、ミニウサギだよ。新しいパート先の人から、ゆずってもらったの。今日からうちで飼《か》うことにするから、よろしくね」

「そ、そんな、とつぜんいわれても……」

ママは、わたしの手のひらに、ひょいっとミニウサギを乗せた。

「うわわ……」

あわてて、ミニウサギを両手でそっとつつむ。

もふもふで気持ちがいい。それに、あったかい……。

ミニウサギをまじまじと見つめていると、ママがいった。

「亜弥《あや》が名前をつけてあげてよ」

「え、わたしが？」

何てつけようかな。小さいからチビ？　ううん、もっと別《べつ》の名前がいい。小さく丸まっているウサギを見ていたら、以前《いぜん》食べたことがある、黄《き》な粉《こ》もちが、頭にぽっと浮《う》かんだ。

「キナコ……」

「キナコか。確《たし》かに、黄な粉みたいな色だね。みんなで、キナコをかわいがってあげようね」

ママはさっそくホームセンターに行き、『ウサギの飼《か》い方《かた》』という本と、ウサギ用のケージ、給水器《きゅうすいき》、牧草《ぼくそう》とエサを買ってきた。

ケージをリビングのすみに置《お》くと、家族がひとり増《ふ》えたような気持ちになった。

会社から帰ってきたパパは、とつぜん現《あらわ》れたウサギに「お！」と声をあげたけれど、すぐにキナコを胸《むね》に抱《だ》きあげた。

キナコをなでてると、パパもママも、たちまち目がやわらかくなる。

「パパは、子どものころ、猫《ねこ》を飼《か》っていたことがあったけれど、ウサギは初《はじ》めてだよ」

「わたしも初めてよ。なんだか、わくわくしちゃうわね」

その日の夕ご飯《はん》は、キナコのことで自然と話がはずんだ。

ママが、『ウサギの飼《か》い方《かた》』を読みながら、あつかい方を教えてくれた。

「ウサギはとてもデリケートな動物で、高いところから落としたただけで骨《ほね》が折《お》れることもあるんだって。耳をつかんで持ちあげるのも、絶対《ぜったい》だめだって」

「そんなに簡単《かんたん》に骨が折れてしまうの？」

やわらかな毛皮の下は、ガラス細工《ざいく》のようにもろいらしい。そのうえ、声を出す声帯《せいたい》がないから、鳴き声をあげないという。

キナコの丸い背中《せなか》をそっとなでた。新しい住《す》み家《か》に慣《な》れないのか、小さな背中は細かくふるえている。

「不安なんだね。だいじょうぶだよ。わたしがいるから心配ないよ」

キナコにそう声をかけながら、胸《むね》がツンとするのを感じた。

新しいクラスで、不安にふるえていた自分に重なったから。

キナコ、仲良《なかよ》くしようね。わたしたちは仲間《なかま》だよ。

次の日、学校から帰ると、まっすぐにキナコのケージに向かった。

（わたしはもう、ひとりじゃない。キナコがいるもの）

キナコは、ケージの扉《とびら》を両手でつかみ、ガシガシとかんでいた。

「外に出たいのかな。今出してあげるね」

ケージの扉が開くのを待ちかねていたように、キナコが飛《と》び出《だ》していた。部屋中を走りまわりながら、時々、ぴょ〜んとひねりをつけてとびあがる。キナコの全身から楽しいのが伝《つた》わってくる！

「うふふ、そんなにうれしいの？」

ひさしぶりに、心が軽くなった。

ところが、すぐに笑顔《えがお》が引っこんだ。今度は、キナコが部屋の柱をがりがりとかじり出したからだ。

「うわあ、何するの！　だめ！」

大声でしかると、あわててキナコを抱《だ》きあげた。手の中のキナコはぶるぶるとふるえている。

「大きな声を出したからびっくりした？　ごめんね。でも、かじるのはだめだよ」

ケージの中にキナコをもどすと、ドン！　と強い音が聞こえ、ぎくりとした。ふたたび、ドン！　と音がした時、思わず目をうたがった。キナコが後ろ足で、ケージの床《ゆか》をたたいた音だったのだ。

（え、今の何？　なんだか、何かを伝《つた》えようとしたみたい）

本棚《ほんだな》から『ウサギの飼《か》い方《かた》』の本をとり出した。読めない漢字がたくさんあるけれど、イラストもあるおかげでなんとなくわかる。

「ウサギが足で地面をたたくのは、怒《おこ》った時……。そうか、わたしが無理《むり》やりケージにもどしたから、怒ったんだね」

キナコは、水を飲んで落ち着いたのか、ケージのすみに体を丸めてすわった。

（おとなしくてか弱いのに、ちゃんと自分の気持ちを伝えようとしてるんだね。それなのに、わたしときたら……）

目を半開きにして、幸せそうに口をもぐもぐしているキナコを、まじまじと見つめずにいられなかった。

キナコはそれからも、いろいろなしぐさで、気持ちを伝《つた》えてくれた。

エサがほしい時は、わたしの足元をぐるぐるまわる。いやなことがあると、プッププッと鼻を鳴らした。

ひとりぼっちの休み時間も、キナコのことを思い出すだけで、自然と、口元に笑《え》みが浮《う》かんでくる。

そんなある朝、キナコのようすがおかしいことに気がついた。

「ママ、キナコの顔が変《へん》だよ」

「確《たし》かに、あごのあたりがはれているね」

ママは、本を調べ、バスケットを持ってきた。

「本だけじゃわからないから、動物病院に連《つ》れていくしかないね。亜弥《あや》、キナコをお願《ねが》い」

わたしはバスケットを抱《だ》きしめ、ママの運転する車に乗った。そっとふたを開けると、キナコは体にギュッと力を入れて丸まっている。すごく緊張《きんちょう》しているんだ。

動物病院のドアを開けた瞬間《しゅんかん》、足が止まった。同じクラスの菜摘《なつみ》ちゃんが、お母さんといっしょに待合室にいたから。

菜摘ちゃんは、うす茶色の毛をした猫《ねこ》を洗濯《せんたく》ネットに入れて、ひざに抱《かか》えていた。ネットに入っているからか、猫はじっとしている。

ママが受付《うけつけ》に行ってしまい、しかたなく待合室のイスにすわると、菜摘《なつみ》ちゃんがわたしに気がついた。

「あれ、鈴木亜弥《すずきあや》ちゃん？」

「……」

ドキン。返事のかわりに小さくうなずく。

菜摘ちゃんが笑顔《えがお》で近づいてきて、興味《きょうみ》しんしんといったようすでキナコのバスケットを見つめた。

「うちの猫《ねこ》、これから予防注射《よぼうちゅうしゃ》なんだ。亜弥ちゃんのうちも猫？」

ドキドキ。首を横にふって、バスケットのふたをそっと開けた。

「うわあ、ミニウサギ飼《か》ってるの？　かわいい～」

菜摘《なつみ》ちゃんは、キナコを見て目を輝《かがや》かせた。

「うちの猫《ねこ》の名前は、ハニー。はちみつ色の猫って意味だよ。亜弥《あや》ちゃんちは？」

ドキドキドキ。ハニーだなんておしゃれ。それに引きかえ、キナコはおもちだなんて、古くさくて笑《わら》われちゃうかも。ううん、いっしょうけんめいに考えてつけたんだもの。ちゃんといおう。のどの奥《おく》に力をこめた。

「キナコ……」

「え？　もしかして、黄《き》な粉《こ》もちのキナコ？」

菜摘ちゃんがにっこりと笑った。

「そうか。このごろの亜弥《あや》ちゃん、なんだか楽しそうだったの、キナコがいるからだね？」

「え？」

「わたしも、時々、学校でハニーのいたずらを思い出して、笑《わら》っちゃう時があるもの。あはは、同じだよ」

そこに、「ハニーちゃ〜ん」と、先生の声が聞こえた。

「は〜い。亜弥ちゃん、じゃ、またね」

菜摘《なつみ》ちゃんはそういって、ハニーを抱《だ》いたまま、お母さんと診察《しんさつ》室《しつ》に入っていった。

ふう……。緊張《きんちょう》が解《と》けてため息をついた時、受付《うけつけ》を終えたママがもどってきた。

「さっき話していたのは、お友だち？」

友だち？　菜摘《なつみ》ちゃんとわたしって、友だちなのかな……。そうだったらよかったのに……。

そっと口びるをかむ。

しばらくして、菜摘ちゃんが診察室《しんさつしつ》から出てきて、声をかけてくれた。

「キナコも、早く治《なお》るといいね！」

入れかわるように、「キナコちゃ〜ん」と先生から呼《よ》ばれた。バスケットをもって診察室に向かうわたしに、菜摘ちゃんが手をふってくれた。

またね！　っていう感じで。

診察室《しんさつしつ》の中では、白衣《はくい》を着た先生が、やさしい声でいった。

「骨《ほね》が折《お》れていないか、念《ねん》のためレントゲンを撮《と》りましょうね」

看護師《かんごし》さんに両手両足をおさえつけられたキナコは、ブルブルとふるえている。よほど、おそろしい思いをしているにちがいない。

がんばれ、キナコ！　がんばれ！

心の中で声をかけ続《つづ》けた。

「骨は、だいじょうぶですね。歯のまわりにばい菌《きん》が入ったようだから、お薬を飲ませてあげてね」

先生からそう聞いて、ほっとした。

ああよかった。治《なお》るんだよ、キナコ。

会計をすませたママが、診察券《しんさつけん》を見せてくれた。

「うふふ、ほら、『鈴木《すずき》キナコちゃん』って書いてある。うちの家族だものね！」

本当だ。キナコは、わたしの大切な家族だよ。

帰りの車の中で、キナコの入っているバスケットを抱《だ》きしめずにいられなかった。

次の日、学校へ行くと、わたしの席《せき》に菜摘《なつみ》ちゃんがやってきた。

「亜弥《あや》ちゃん、キナコはだいじょうぶ？」

ドキドキ……。キナコのこと、覚《おぼ》えていてくれたんだ。うれしい！

「うん、お薬で治《なお》るって……」

よかった。ちゃんと返事ができた。

「ねえねえ、キナコって何のこと？」

愛花《あいか》ちゃんが、興味《きょうみ》をそそられたように、わたしたちのところへ来た。

どう答えよう……。ドギマギしていると、菜摘《なつみ》ちゃんが愛花ちゃんに答えてくれた。

「亜弥ちゃんが飼《か》っている、ミニウサギだよ。とってもかわいいの」

「うわあ、ミニウサギを飼っているの？　見てみたいな」

菜摘《なつみ》ちゃんは、いいことを思いついたというように、パンと手をたたいた。

「ねえ亜弥《あや》ちゃん、うちらで、ミニウサギを見せてもらいに行ってもいい？」

ドキドキドキドキドキ……！

どうしよう。菜摘ちゃんも愛花《あいか》ちゃんも、期待に目をキラキラさせている。きっと、動物が好《す》きなんだ。キナコも喜《よろこ》ぶかな。

「う、うん。いいよ……」

小さくうなずくと、菜摘ちゃんがばんざいをした。

「やった！　じゃあ、今日、ふたりで亜弥ちゃんの家に行くね！」

うわあ、すごい展開《てんかい》！　菜摘《なつみ》ちゃんと愛花《あいか》ちゃんが、わたしの家に遊びに来るなんて！

学校が終わると、菜摘ちゃんと愛花ちゃんは、本当にうちにやってきた。ふたりは、キナコを見るなり声をはずませた。

「うわあ、めちゃめちゃかわいい！」

「黄《き》な粉《こ》もちそっくりだね」

うんうんとうなずく。

そうなの、とてもかわいいの！

黄な粉もちにそっくりなの！

ふたりが、ふしぎそうにわたしを見た。

「亜弥《あや》ちゃん、ウサギって鳴かないの？」

「ずっとだまっているよ」

ふたりに、キナコのことをもっとわかってほしい！　わたしは、つい夢中《むちゅう》で話していた。

「うん、うさぎは声帯《せいたい》がないから、鳴かないんだ。でもね、かまってほしい時はツンツンと鼻でつついたり、いやなことがあると、後ろ足でドンと床《ゆか》をたたいたりして、ちゃんと気持ちを伝《つた》えてくれるんだよ」

菜摘《なつみ》ちゃんと愛花《あいか》ちゃんは、びっくりしたように顔を見合わせると、そろって笑《わら》い出《だ》した。

「くすくす、亜弥《あや》ちゃんって、キナコのこととなると、学校にいる時とは別人《べつじん》みたいだね」

「ふふふ、亜弥ちゃんが、たくさんお話ししてくれてうれしい！」

「え？」

ふたりの言葉にはっとする。

キナコのことになると、力がわいてくる。引《ひ》っこみ思案《じあん》なわたしだけじゃなくて、別《べつ》なわたしもいるんだ！

とつぜん、ダン！　と音がしたかと思うと、キナコがケージの中でひっくり返った。

菜摘《なつみ》ちゃんと愛花《あいか》ちゃんは、おなかを横にしたまま動かないキナコを前に悲鳴《ひめい》をあげた。

「きゃあ！」

「まさか、急に死んじゃったとか？」

「うふふ、びっくりするよね。じつは、とてもリラックスしている時のしぐさなの」

ふたりはほっとしたように、胸《むね》を押《お》さえた。

「なあんだ、そうなんだあ。ウサギっておもしろいねえ」

「明日学校でも、キナコのこと、また教えてね」

「うん！」

わたしは、菜摘《なつみ》ちゃんと愛花《あいか》ちゃんを見送った。

部屋にもどると、ケージの中のキナコは、気持ちよさそうに丸まっていた。
わたしは、キナコにそっとささやいた。
明日も、菜摘《なつみ》ちゃんと愛花《あいか》ちゃんと、お話しするんだよ。
ありがとう、キナコ！

聞き耳ずきんを　見つけたかい？
かぶれば聞こえる　動物たちの声
けれども　それは　きみだけの　ひみつ
こっそり　入ろう
動物たちの　ふしぎな世界へ

作／堀米《ほりごめ》 薫《かおる》

福島県生まれ。岩手大学大学院農学研究科修了。日本児童文芸家協会会員。宮城県で和牛飼育、水稲、林業を営みながら児童文学やエッセイを執筆中。

『チョコレートと青い空』(そうえん社)で第41回児童文芸新人賞&青少年読書感想文全国コンクール課題図書。『あきらめないことにしたの』(新日本出版社)で第2回児童ペン大賞。他に、ノンフィクション『命のバトン』(佼成出版社)、絵本『ゆうなとスティービー』(ポプラ社)、歴史児童小説『仙台真田氏物語』(くもん出版)など多数。近著に『夕ぐれ時のふしぎ』(国土社)、『おんなのこのでんきえほん』シリーズ(西東社)がある。

絵／三上《みかみ》 唯《ゆい》

イラストレーター。東京都出身。独学でイラストを学び、装画やCDジャケットのアートワークなどを担当する。毎年、個展やグループ展を開催するなど、展示活動にも力を入れている。おもな作品に『沙羅の風』(国土社)などがある。

休み時間で完結　パステル ショートストーリー
Yellow Brown《イエローブラウン》
動物たちのささやき
作者／堀米 薫
画家／三上 唯

2023年11月30日　初版1刷発行

発　行　　株式会社 国土社
〒101-0062　東京都千代田区神田駿河台2-5
TEL 03-6272-6125　FAX 03-6272-6126
https://www.kokudosha.co.jp
印刷・製本　　モリモト印刷 株式会社

NDC913　144p　19cm　ISBN978-4-337-04137-0　C8393